BEI GRIN MACHT SICH IHR
WISSEN BEZAHLT

- Wir veröffentlichen Ihre Hausarbeit,
  Bachelor- und Masterarbeit

- Ihr eigenes eBook und Buch -
  weltweit in allen wichtigen Shops

- Verdienen Sie an jedem Verkauf

Jetzt bei www.GRIN.com hochladen
und kostenlos publizieren

Bibliografische Information der Deutschen Nationalbibliothek:

Die Deutsche Bibliothek verzeichnet diese Publikation in der Deutschen National-
bibliografie; detaillierte bibliografische Daten sind im Internet über http://dnb.d-
nb.de/ abrufbar.

Impressum:

Copyright © 2016 GRIN Verlag, Open Publishing GmbH
Druck und Bindung: Books on Demand GmbH, Norderstedt Germany
ISBN: 9783668362352

Dieses Buch bei GRIN:

http://www.grin.com/de/e-book/346801/alice-im-unterbewusstsein-carrolls-die-auf-
traumdichtung-basierende-gesellschaftskritik

Nadja Rode

Alice im Unterbewusstsein Carrolls. Die auf Traumdichtung basierende Gesellschaftskritik in "Alice im Wunderland"

GRIN Verlag

GRIN - Your knowledge has value

Der GRIN Verlag publiziert seit 1998 wissenschaftliche Arbeiten von Studenten, Hochschullehrern und anderen Akademikern als eBook und gedrucktes Buch. Die Verlagswebsite www.grin.com ist die ideale Plattform zur Veröffentlichung von Hausarbeiten, Abschlussarbeiten, wissenschaftlichen Aufsätzen, Dissertationen und Fachbüchern.

Besuchen Sie uns im Internet:

http://www.grin.com/

http://www.facebook.com/grincom

http://www.twitter.com/grin_com

Alice im Unterbewusstsein Carrolls - Die auf Traumdichtung basierende Gesellschaftskritik in "Alice im Wunderland"

Facharbeit von Nadja Rode (Q1 2015/16)

Inhaltsverzeichnis

1. Einleitung

Das wohl bekannteste Werk Lewis Carrolls ist "Alice im Wunderland". Alice fällt durch ein Kaninchenloch und landet in einer neuen, ihr völlig unbekannten Welt: dem Wunderland. Dort trifft sie auf zahlreiche eigenartige Wesen. Die Dialoge zwischen Alice und den Wunderlandbewohnern sind von Missverständnissen geprägt, die Wesen argumentieren oft vollkommen unschlüssig oder verhalten sich völlig seltsam. Während dieser Unsinn einerseits lustig ist, macht er doch auch Angst und obwohl die Wunderlandbewohner so befremdlich sind, kommen sie einem doch bekannt vor, so als hätten sie gewisse menschliche Züge. Es scheint, als würde Carroll mit dem Wunderland nicht nur Lachen erzeugen wollen, sondern eher auf eine subtile und unbewusste Weise dieses Lachen in der Kehle ersticken lassen, denn irgendetwas stimmt nicht mit Alice' beklemmender Reise in das Wunderland.

Bei genauerer Betrachtung von Carrolls Leben, einem Außenseiter, der sich zwar einerseits in seiner Position als Professor für Mathematik völlig gesellschaftskonform verhielt, sich aber andererseits auch die meiste Zeit in seine Phantasie und Tagträume flüchtete, entsteht die Frage, ob Carroll mit "Alice im Wunderland" möglicherweise aufzeigt, wie wenig er sich in der Gesellschaft akzeptiert fühlte, gleich Alice, der das Wunderland und deren sonderbaren Bewohner so fremd sind.

Meine Motivation für diese Facharbeit basiert auf einer Studienarbeit von Florian Dülks, die die sozialkritische und traumdichterische als zwei potentielle Lesarten von "Alice im Wunderland" erläutert. Dülks kommt bei dieser Arbeit zu dem Schluss, dass die "sozialkritische Betrachtung von AW [Alice im Wunderland] als solche nicht vollführt werden [kann]"[1] und im Gegensatz dazu die "traumdichterische Leseart die aufschlussreichere ist"[2]. Um die Traumdichtung in "Alice im Wunderland" zu beweisen, arbeitet Dülks mit Theorien Freuds, die er auf das Werk bezieht. Ich kann Dülks Ausführungen zur Traumdichtung nachvollziehen, jedoch bedeutet dies für mich nicht, dass dort nicht auch Sozialkritik zu finden ist oder diese unschlüssig ist. Um meinen Standpunkt diesbezüglich zu erläutern, werde ich in dieser Facharbeit zunächst grob die viktorianische Gesellschaft beschreiben und im Anschluss daran die Bedeutung des Kindes für Lewis Carroll aufzeigen und vor allem auch auf das Wesen Carrolls eingehen. Hierbei arbeite ich auch mit Theorien Freuds.

---

[1] Dülks 2006, S. 26.
[2] Ebd., S. 26.

Darauffolgend werde ich erläutern, warum Alice als Spiegelbild Carrolls zu verstehen ist, was sich auch aus der Bedeutung des Kindes für ihn erschließt. Dülks erörtert diesen Punkt auch noch knapp, jedoch werde ich nun, als logische Schlussfolgerung darauf, dass Alice Carroll ist und "Alice im Wunderland" durch Traumdichtung entstanden ist, also auf Träumen basiert, darauf eingehen, dass das Wunderland vor allem das Unterbewusstsein Carrolls offenbart und, dass folglich "Alice im Wunderland", neben den offensichtlichen Parodien auf die Gesellschaft, die Dülks als die sozialkritische Lesensart versteht, auch eine tiefgehendere Sozialkritik enthält, die sich eher mit dem menschlichen Wesen und dessen Identität in der Gesellschaft befasst.

So ist die leitende Frage meiner Facharbeit, ob, basierend auf der Traumdichtung und den Theorien Freuds, diesbezüglich eine gesellschaftskritische Deutung von "Alice im Wunderland" möglich ist oder nicht.

2. Die viktorianische Gesellschaft

Das viktorianische Zeitalter beschreibt in der Geschichte Englands den Zeitabschnitt von 1837 bis 1901 unter der Herrschaft der Königin Viktoria. Die Folgen der Industrialisierung bedeuteten ein wirtschaftliches Hoch des Landes und die viktorianische Gesellschaft war eine starre Klassengesellschaft, es gab also nur äußerst geringe Aufstiegschancen für die unteren Klassen. Außerdem galt der Utilitarismus als die allgemeine Philosophie, welche vertrat, dass nur Dinge, die tatsächlich nützlich erschienen, auch sinnvoll waren.

So war es eine Welt, die "die äußeren Normen und Konventionen betont[e] und die Rationalität in den Vordergrund rückt[e]"[3]. Oft wird in Verbindung mit der viktorianischen Gesellschaft von "normativer Enge"[4] und dem "Zwang, sich anzupassen"[5] gesprochen. Es war eine Welt, die die Phantasie unterdrückte und somit die "Aufspaltung [eines jeden Bürgers] in eine "private" Tätigkeit und eine "öffentlich-politische""[6] verantwortete und "als Ausweg gegenüber [diesen] unlösbaren Konflikten zwischen individuellen Wünschen und gesell-schaftlichen Erwartungen [blieb] nur eine Trennung zwischen dem realen Leben und den Phantasien"[7].

---

[3] Kleinspehn 1997, S. 61.
[4] Ebd., S. 58.
[5] Ebd., S. 65.
[6] Reichert 1974, S. 28.
[7] Kleinspehn 1997, S. 130.

Dieser Zustand der Gesellschaft spiegelte sich auch in der Erziehung und Bildung der Kinder wieder. "Das Schulsystem, das auf Rationalität, Vernunft und der Vermittlung von kognitivem Wissen aufbaut[e] und sehr strenge moralische Normen zu vermitteln sucht[e]"[8] hatte lediglich zum Zweck, die Kinder möglichst schnell zu kleinen Erwachsenen zu machen und somit auch, sie der zu dieser Zeit alles beherrschenden Macht der gesellschaftlichen Zwänge zu unterwerfen.

3. Die Bedeutung des Kindes für Lewis Carroll

Auch Carrolls Kindheit war davon geprägt, möglichst früh zu einem Erwachsenen erzogen zu werden, was zudem davon unterstützt wurde, dass er der älteste Sohn der Familie war. Vielleicht auch gerade wegen dieser überfordernden Erwartungen an ihn "[blieb] er erstaunlich lange in der Rolle des kleinen Kindes befangen"[9], was in Briefen seinerseits an seine Familie deutlich wird, die mit übertrieben kindlicher Sprache und einer auffälligen Nachsicht bezüglich der Rechtschreibung verfasst wurden. Ebendiese Befangenheit ist nach der Freud'schen Theorie "Der Dichter und das Phantasieren" verantwortlich für Carrolls Schaffung der Alice-Bücher, die eine gänzlich neue Welt mit gänzlich neuen Regeln und Ordnungen aufzeigen: das Wunderland. Besonders hier lässt sich die Ähnlichkeit Carrolls zu einem Kind und die immense Bedeutung der Kindheit für ihn festmachen, da auch "jedes spielende Kind sich wie ein Dichter [benimmt], indem es sich eine eigene Welt schafft oder, richtiger gesagt, die Dinge seiner Welt in eine neue, ihm gefällige, Ordnung versetzt"[10]. Während ein Erwachsener sich seiner Phantasien schämt, genießen Kind sowie Dichter[11] den "heilsamen Effekt des Phantasierens"[12], und der Genuss dieses Phantasierens ist "der Weg zurück in die Kindheit, in das kindliche Bewusstsein [...], der in der Vorstellung Carrolls zu Erlösung führt"[13].

Die Sehnsucht nach dem Weg zurück in die Kindheit lässt Carroll in vielen seiner Werke nostalgisch anklingen und macht damit erneut deutlich, wie sehr die Rolle des angepassten konventionellen Erwachsenen ihn quälte.

---

[8] Ebd., S. 63.
[9] Ebd., S. 16.
[10] Freud, Sigmund: Kleine Schriften I, Kapitel 12: Der Dichter und das Phantasieren (1908). In: Spiegel Online Kultur: Projekt Gutenberg - DE. URL: http://gutenberg.spiegel.de/buch/kleine-schriften-i-7123/12.
[11] Vgl. Ebd.
[12] Zirker 2010, S. 368.
[13] Ebd., S. 28.

Ich würde den ganzen in Jahren angehäuften Reichtum geben / Das späte Ergebnis eines Lebensabschnitts / Um noch einmal ein Kind sein zu können (Lewis Carroll) (Kleinspehn 1997, S. 16.)

Carroll ist gefangen in der Gesellschaft und doch ist er auch noch in der Rolle des Kindes gefangen, da "es [für ihn vielmehr] gerade so [scheint], als sei die Kinderwelt sehr viel überschaubarer und logischer"[14] im Gegensatz zur normativ erdrückenden viktorianischen Welt. Seine "Logik [...] hört nicht auf, sich gegen das vom "normalen Menschenverstand" [eines Erwachsenen] Gedachte zu kehren und in ihm Unsicherheit und schlechtes Gewissen zu produzieren"[15] und so bewahrt er sich die Kinderwelt, um vor der Realität zu flüchten. Die Ambivalenz des "Kind[es], das erwachsen sein soll und de[s] Erwachsene[n], der Kind sein will"[16] herrschte stets im Inneren Carrolls.

4. Alice als Spiegelbild Carrolls

Die Zwiespältigkeit Carrolls beginnt schon damit, dass der Name Lewis Carroll nur ein Pseudonym für den konventionellen und anscheinend völlig gesellschaftskonformen Bürger Charles Lutwidge Dodgson war. Während Dodgson sich an alle Konventionen und Normen hält, steckt Carroll voller Phantasien und gibt sich dem Unsinn hin.
Dieses Motiv der Zwiespältigkeit lässt sich auch in "Alice im Wunderland" wiederfinden, denn vor allem ist es Alice selbst, die schizophren[17] ist.

»Komm, das hat doch keinen Sinn, so zu heulen!« ermahnte Alice sich ziemlich schroff, »ich rate dir, sofort damit aufzuhören!« Meistens gab sie sich sehr gute Ratschläge (die sie allerdings nur selten befolgte) und zuweilen schimpfte sie sich selbst dermaßen heftig aus, dass ihr die Tränen kamen [...]; denn dieses eigenartige Kind liebte es, so zu tun, als wäre sie zu zweit. (Carroll 1865, S. 18.)

---

[14] Kleinspehn 1997, S. 62.
[15] Reichert 1974, S. 30.
[16] Ebd.: S. 43.
[17] Wissenschaftlich betrachtet läuft das Krankheitsbild der Schizophrenie nicht unbedingt auf eine gespaltene Persönlichkeit hinaus, sondern eher auf Paranoia und Verfolgungswahn. Der medizinisch korrekte Begriff für die gespaltene Persönlichkeit ist "multiple Persönlichkeit". Ich werde in dieser Arbeit jedoch trotzdem Schizophrenie als eine gespaltene Persönlichkeit auffassen, da dies im allgemeinen Volksmund so benutzt wird.

Oft führt Alice Selbstgespräche, in denen sie mit sich selbst debattiert oder sich ermahnt, nicht so einen Unsinn zu reden. Offensichtlich ist auch sie in eine phantasievolle und eine bürgerliche konventionelle Persönlichkeit zerrissen, die stets im Kampf miteinander sind, was eine deutliche Parallele zu Carroll und Dodgson entstehen lässt. Und genau dies ist einer der wichtigsten Aspekte, denn es ist nicht gerade irgendein kleines Mädchen, das da verloren durch das Wunderland wandert, sondern Carroll selbst.

> Die Alice der Bücher [...] weiß zuviel; ihre Naivität ist keine spontane, sondern eine, die den Gegner durchschaut, ihm, gewissermaßen, gefällig ist. [...] Die guten Manieren wirken repetitiv - sie selber ist ihnen längst entwachsen. Es scheint, als spiele sie nur die Rolle, die man von ihr verlangt, nicht ohne ständig aus ihr zu fallen. (Petzold 1981, S. 42.)

Nach Freud ist der Autor eines Werkes zugleich auch immer der Held desselben[18] und so offenbart uns "Alice im Wunderland" einen tieferen Einblick in Carrolls Psyche. Alice spielt nur das Kind, so wie Carroll den Erwachsenen spielt, und die Widersprüchlichkeit des Kindes, das eigentlich erwachsen ist, aber in der Rolle des Kindes bleiben möchte, wird durch Alice als Spiegelbild Carrolls deutlich zum Ausdruck gebracht.

Besonders wichtig dabei ist, dass "Alice im Wunderland" zum Großteil auf Träumen, also Traumdichtung, basiert. Alice erfährt dies direkt zu Beginn, denn bevor sie das Wunderland betritt, beschreibt sie, dass "sie schon ganz träge und dösig [war]"[19] und, dass es ihr noch nicht einmal komisch vorgekommen sei, als das weiße Kaninchen mit der Uhr an ihr vorbeilief[20]. Vermutlich ist dies eine Anspielung auf den Zustand kurz vor dem Einschlafen, in dem die Gedanken davondriften und man stark phantasiert. So ist das ganze Wunderland für Alice nur ein Traum und sie erwacht am Ende wieder neben ihrer Schwester und erzählt ihr von dem "seltsamen Traum"[21].

"Alice im Wunderland" soll aber nicht nur die Dramaturgie eines Traums während des Lesens erzeugen, sondern basiert tatsächlich auf den Träumen Carrolls. Er verrät zum Beispiel in einem Vorwort zu einem seiner anderen Werke, dass er immer einen Bleistift und einen

---

[18] Vgl. Dülks 2006, S. 16.
[19] Carroll 1865, S. 9.
[20] Vgl. Ebd., S. 10.
[21] Ebd., S. 154.

Zettel neben seinem Bett liegen habe, um seine Träume beim Erwachen unverzüglich aufschreiben zu können[22]. Ein weiteres Indiz für die Traumdichtung ist, dass "Alice in Wonderland keine "Geschichte" [ist]: es ist ein Arrangement einzelner, in sich geschlossener locker miteinander verzahnter Episoden"[23]. Es wurde niemals als klassische Geschichte konzipiert, sondern Carroll fügte lediglich lose Fragmente, die nicht aufeinander aufbauen, zu einer Handlung zusammen. Diese Episoden stammen vermutlich aus diversen seiner Träume, und so lässt sich aus ihnen kein wirklicher Handlungsstrang entwickeln, was auch dazu führt, dass das ganze Werk nur wie ein Traum erscheint.

> I'm very much afraid I didn't mean anything but nonsense! Still, you know words mean more than we mean to express when we use them: so a whole book ought to mean a great deal more than the writer meant. (Lewis Carroll) (Petzold 1981, S. 232)

Obwohl die Vermutung nahe liegt, dass Carroll lügt und bloß nicht zugeben will, welche metaphorischen Botschaften er im Wunderland versteckt hat, sagt er höchstwahrscheinlich die Wahrheit, was jedoch nicht bedeutet, dass es falsch ist, eine tiefere Bedeutung in "Alice im Wunderland" zu suchen, worauf er auch anspielt. Er hat sich nichts während des Schreibens gedacht, hat lediglich Unsinn niedergeschrieben, "Gedankenblitze aus heiterem Himmel"[24], wie er es selbst beschreibt und ebendiese Technik des Schreibens ist der Schlüssel zu der Interpretation des Werkes. Alice fällt durch das Kaninchenloch nicht nur in das Wunderland, sondern geradewegs in das Unterbewusstsein Carrolls, denn "[sein] Unsinn ist eine Art Sprache [dieses] Unbewussten"[25].

Und genau an dieser Stelle beginnt auch die Gesellschaftskritik, da "permanente Verdrängungsschübe [ins Unterbewusstsein] [...] die allgemeine Reaktionsform des viktorianischen Bürgers [...]"[26] auf die strengen Normen und Konventionen waren.

Alice ist also verloren und einsam im Wunderland, denn "[die] Welt [dieses Wunderlands] ist real erfahren, diese Halluzinationen sind von Angst erzeugt"[27], Carrolls Angst vor der Gesellschaft, die ihn unbewusst beherrschte.

---

[22] Vgl. Kleinspehn 1997, S. 73.
[23] Reichert 1974, S. 66.
[24] Carroll 1889, Vorwort zu Sylvie and Bruno.
[25] Reichert 1974, S. 36.
[26] Ebd., S. 36.
[27] Petzold 1981, S. 232.

5. Das Wunderland als kritisches Abbild der Gesellschaft

Alice irrt durch das Wunderland und "schwankt [permanent] zwischen Normen und Anforderungen ihrer Umgebung und den eigenen Wünschen"[28], während die stetige Frage "Wer bin ich?" sie begleitet. Sie erlebt im Wunderland deutlich den Unterschied zwischen der Realität und der Phantasie des Wunderlands und vor allem beschäftigt sie der Gedanke, dass sie in der Realität noch ein anderer Mensch gewesen sein muss. Sie weiß zwar wer "[sie] heute morgen war, als [sie] aufstand"[29], aber seit sie im Wunderland ist, hat sie das Gefühl "mehrmals vertauscht worden [zu] sein"[30]. Dies rührt daher, dass sie zahlreiche Verwandlungen durchlebt, wächst und schrumpft und auch die Wunderlandbewohner nicht wissen, wer sie ist, sie für jemand anderen halten oder sie in Gespräche über die Frage nach ihrer Identität verwickeln.

> »Wer bist denn du?«, fragte die Raupe.
>
> Das war kein sehr ermutigender Gesprächsanfang.
>
> Alice erwiderte ziemlich schüchtern: »Ich - ich bin mir nicht sicher, mein Herr, jedenfalls im Moment nicht - immerhin weiß ich, wer ich heute morgen war, als ich aufstand; aber seitdem muss ich wohl mehrmals vertauscht worden sein.«
>
> »Was meinst du damit?«, fragte die Raupe streng. »Erkläre dich!«
>
> »Ich fürchte, ich kann *mich* nicht erklären, mein Herr«, sagte Alice, »weil ich nicht ich bin, verstehen Sie?« (Carroll 1865, S. 54,55.)

Diese hervorgerufenen Zweifel plagen Alice vehement und werden davon unterstützt, dass sie "überall dort, wo sie auf andere trifft, die sie nicht versteht,[...] aggressive Reaktionen [erlebt]"[31]. So wird Alice, als sie in einem Haus eingesperrt ist, weil sie unkontrolliert gewachsen ist und nun nicht mehr herauskommt, beinahe unverzüglich mit Steinen beworfen und niemand versucht, das Problem zunächst auf eine friedfertige Weise zu lösen. Die Wunderlandbewohner interagieren zwar mit Alice, aber "keine[r] ist zu echter Kommuni-

---

[28] Kleinspehn 1997, S. 65.
[29] Carroll 1865, S. 54
[30] Ebd., S. 54.
[31] Kleinsphen 1997, S. 68.

kation oder gar zu liebevoller Zuwendung fähig"[32]. Sie versuchen lediglich, Alice "ihre Normen, von denen sie die genauste Vorstellung zu haben scheinen, die aber Alice nur selten nachvollziehen kann"[33], aufzuzwingen und ihre "Überlegenheit zu demonstrieren", gleich "aggressiver, besserwissender Erwachsener"[34].

> [Die Schlafmaus] fuhr fort: »...was mit M anfängt, wie Mausefalle, Mond, Morgenröte, und manches Mal - ihr wisst ja, man sagt: "Das hab ich manches Mal gemacht" - hast du je so etwas wie ein manches Mal gemalt gesehen?«
>
> »Also wirklich, da du mich schon fragst«, sagte Alice ganz verwirrt, »ich glaube nicht...«
>
> »Dann halt lieber den Mund«, sagte der Hutmacher.
>
> Diese Unverschämtheit war Alice nun doch zu viel: Angewidert stand sie auf und ging ihre Wege. (Carroll 1865, S. 92.)

Der Unsinn ist Gesetz im Wunderland und die fehlende Logik lässt ein Gefühl der Beklemmung zurück. Da ist nichts, woran Alice sich festhalten kann und so wird ihr ganzes Welt- und Selbstbild auf den Kopf gestellt und sie erfährt Entfremdung, die Angst macht. Alice hält aber mit aller Kraft an den viktorianischen Tugenden fest und wehrt sich gegen den Unsinn, der dem ihr bekannten Utilitarismus so entschieden widerspricht. Während eines Verfahrens um einen Törtchendieb zum Beispiel soll dieser aufgrund einer völlig unschlüssigen Begründung verurteilt werden, doch Alice wehrt sich mutig gegen solch eine überlegene Autorität wie die Herzkönigin und besteht auf Gerechtigkeit. Dies geschieht mit einer beinahe unnatürlichen Standfestigkeit, während die Widersprüchlichkeit des Wunderlands als einerseits einer Welt, in der sie sich frei bewegen und neugierig sein darf, und andererseits einer Welt voller sonderbarer beängstigender Figuren ihre innere Zwiespältigkeit widerspiegelt und sie so wieder zu der allgemeinen Frage nach der Identität zurückführt[35].

Die Frage, wer man in der viktorianischen Gesellschaft überhaupt sein konnte, ja durfte, ist zentral. Einerseits hält sich jeder Bürger, wie auch Alice, mit aller Kraft an die Normen, die

---

[32] Petzold 1981, S. 230.
[33] Kleinspehn 1997, S. 65.
[34] Petzold 1981, S. 232.
[35] Vgl. Kleinspehn 1997, S. 65.

von klein auf jeglichen Sinn in dieser Welt symbolisierten, doch andererseits beschleicht auch manche das Gefühl von Zweifel, wo die tatsächliche Identität ist oder ob man überhaupt noch eine besitzt und genau diesem leisen und doch so erdrückenden Zweifel muss sich Alice im Wunderland stellen. Die öffentliche und private Persönlichkeit des viktorianischen Bürgers waren stets im Kampf miteinander und irgendwo zwischen diesen beiden versteckte sich, hinter Normen und Konventionen, die Identität und verschwand Stück für Stück mehr. Nicht nur niemand anderes konnte erkennen wer man war, sondern vor allem auch man selbst nicht. Die Desintegration, die durch diese Unsicherheit entstand, führte zu einer Gesellschaft ohne Miteinander. Die viktorianische Gesellschaft war eine Aristokratie und wurde in Klassen aufgeteilt, wobei sich die Mittelklasse zum Beispiel nicht im Geringsten darum scherte, dass die Arbeiterklasse ausgebeutet wurde. Jeder interessierte sich nur für sich selbst und wie auch im Wunderland entstanden unterdrückte Aggressionen, denn die Gesellschaft war weder sozial noch harmonisch. Der einzige Halt, der einem in dieser Welt der Einsamkeit geboten wurde, waren die gesellschaftlichen Konventionen und so waren es lediglich diese, durch die "der Sinn [...] vorausgesetzt [wurde]"[36]. Auch der Utilitarismus unterstützte diese strikte Notwendigkeit des Sinns und es gab nur den universellen Sinn der Normen, dem sich jeder anzupassen hatte. So zwang die Gesellschaft die Bürger, wie auch Carroll, mit einem enormen Druck, sich zumindest in der Öffentlichkeit gleich, also entsprechend der Normen, zu verhalten.

»Nun gut«, fuhr die Katze fort, »wie du weißt, knurren Hunde, wenn sie wütend sind, und wedeln mit dem Schwanz, wenn sie sich freuen. Ich hingegen knurre, wenn ich mich freue, und wedle mit dem Schwanz, wenn ich mich ärgere. Daher bin ich verrückt.« (Carroll 1865, S. 79.)

Katzen und Hunde sind unterschiedliche Wesen mit unterschiedlichen Verhaltensweisen, so wie auch Menschen unterschiedliche Individuen sind. In der viktorianischen Gesellschaft wurde Anderssein jedoch nicht akzeptiert. Das Produkt ist zwanghafte Konformität und eine Individualität, die wenn überhaupt, nur noch in den hintersten Winkeln des Geistes existierte. Diese fehlende wahrhafte Individualität bedeutete auch "die Rationalisierung, Entzauberung und Verengung der Kunst"[37] und so war die viktorianische Welt eine Welt,

---

[36] Ebd., S. 71.
[37] Reichert 1974, S. 36.

beherrscht vom "Verlust der Sinnhaftigkeit"[38] und unerfüllter Selbstfindung, in deren tristem Alltag noch nicht mal mehr oder nur in geringem Maße die Kunst zur Erlösung führen konnte. Dem viktorianischen Bürger blieb nichts anderes übrig, als die Phantasien zu verdrängen oder sie in der privaten Persönlichkeit auszuleben, wobei die Frage bleibt, wie viel Zeit ein Bürger tatsächlich vollkommen privat verbrachte, da auch schon in der Familie die öffentliche Etikette zu wahren war. Die ganze Gesellschaft wurde dazu gezwungen in zwei Welten zu leben und wer nicht damit umgehen konnte, wie Carroll, wurde verrückt, denn auch schon die Katze bemerkte im Wunderland: "Wir sind hier alle verrückt"[39], soll heißen, schizophren. Und so ist die alleinige Existenz des Wunderlands eine vehemente Kritik, da sie ein Ort des reinen Wahnsinns ist, des Wahnsinns, den zweifellos die Gesellschaft zu verschulden hat.

6. Fazit

Die Analyse und Deutung des Werkes "Alice im Wunderland" vor dem Hintergrund der viktorianischen Gesellschaft zeigt Carrolls Misere deutlich auf. Einerseits hieß er die Normen der viktorianischen Gesellschaft gut, denn sie boten ihm einen Platz in der Gesellschaft und resultierten in einer gewissen Ordnung der Welt, doch erdrückten sie ihn auch und er entwickelte aufgrund dieser, unter dem Pseudonym Lewis Carroll, eine zweite Persönlichkeit, die sich dem Unsinn hingab und eine Welt fernab der viktorianischen Gesellschaft konstruierte: das Wunderland.

Diese Welt entspringt Carrolls Unterbewusstsein, denn sie basiert, wie auch schon Dülks in seiner Studienarbeit feststellt, auf Traumdichtung. Jedoch ist dies, und hier unterscheidet sich meine Ansicht von der Dülks, auch der Punkt, an dem die sozialkritische Lesensart ansetzt. Die Theorien Freuds aus der "Dichter und das Phantasieren", die auch Dülks erläutert, beschreiben, dass ein Dichter eher einem Kind als einem Erwachsenen ähnelt, da der Dichter seine Phantasien auslebt und sie beschreiben auch, was meiner Ansicht nach ein besonders wichtiger Aspekt ist, dass ein Autor eines Werks sich selbst in dem Helden desselben sieht. Dies ist ein hervorragendes Fundament für die Erläuterung der Traumdichtung, die Carroll anwendet, wie auch Dülks bemerkt. "Alice im Wunderland" basiert auf den Träumen Carrolls und ist so vor allem eine Reise in sein Unterbewusstsein,

---

[38] Ebd., S. 36.
[39] Carroll 1865, S. 78.

wobei Alice er selbst ist, denn die nächstliegende Methode, um das eigene Unterbewusstsein zu erkunden, ist das Träumen. Wenn man nun jedoch den weiteren, tiefer gehenden Schritt macht, heißt das auch, dass das Wunderland nicht nur die bewusste und oberflächliche Kritik enthält, wie Parodien auf das Rechtssystem während des Verfahrens um den Törtchendieb oder das Schulsystem, wenn Alice all ihre auswendig gelernten Gedichte falsch aufsagt, die Dülks in seiner Arbeit als Sozialkritik erläutert, sondern vor allem eine unbewusste beinahe philosophische Gesellschaftskritik enthält, die sich eher mit dem Wesen des Menschen und dessen Identität in der Gesellschaft beschäftigt. Das Besondere bei dieser tiefer gehenden Interpretation ist also, dass Carroll durch seinen Nonsens, der stark mit dem unbewussten Schreiben und der Traumdichtung verbunden ist, mit "Alice im Wunderland" ein beklemmendes Zeugnis von einem Menschen schuf, der sich nie wahrhaftig in der Gesellschaft akzeptiert fühlte. Es ist folglich meiner Meinung nach unerlässlich, die Traumdichtung und Sozialkritik nicht als nebeneinander existierende Lesarten zu sehen, sondern die eine als Basis der anderen zu verstehen.

Eine Gesellschaft baut darauf auf, dass jeder Bürger die passende Rolle für sich findet und in dieser als Schnittpunkt zwischen der eigenen Identität und den Rollenanforderungen agiert. Rollenanforderungen sind hierbei nichts schlechtes, denn sie dienen als Gerüst, um sich in der Gesellschaft zurechtzufinden und gemeinsame Werte zu definieren. Der große Fehler der viktorianischen Gesellschaft war dabei meiner Meinung nach, dass so gut wie niemand auch nur ansatzweise dazu imstande war, seine richtige Rolle zu finden, da sich die meisten ihrer Identität nicht bewusst waren. Die Identität wurde unterschätzt und als etwas unbrauchbares abgetan, denn die Industrialisierung erforderte klar strukturierte, rational funktionierende Menschen. Die künstlerischen und schöpferischen Aspekte des Geistes gingen verloren und entweder verschwand die Identität im Erwachsenenalter in der schon oft erwähnten Zwiespältigkeit oder wurde gar nicht erst entwickelt, da auch schon Kinder durch Normen vehement eingeengt wurden. Dieses universelle und oberflächliche Verständnis des Menschen seitens der Gesellschaft führte dazu, dass der Bürger der viktorianischen Gesellschaft keinen individuellen Sinn in seinem Leben finden konnte, denn dieser wurde nur durch die Normen vorgegeben. Eine Gesellschaft ohne Menschen, die in ihrer Rolle mit wahrhafter Leidenschaft und Überzeugung auf etwas hinarbeiten, den Sinn und das Ziel ihres Lebens, ist eine Gesellschaft, die nichts leisten kann, weder für die Gesamtheit dieser noch für das einzelne Individuum.

7. Literaturverzeichnis

Primärliteratur:

Carroll, Lewis: Alice im Wunderland. x. Auflage. Köln: Anaconda, 2011.

Sekundärliteratur:

Dülks, Florian: Die Traumdichtung und Sozialkritik als zwei potentielle Lesearten von "Alice im Wunderland". 1. Auflage. Münster: GRIN, 2006.

Kleinspehn, Thomas: Lewis Carroll. 1. Auflage. Reinbek bei Hamburg: Rowohlt Taschenbuch Verlag GmbH, 1997.

Petzold, Dieter: Das englische Kunstmärchen im neunzehnten Jahrhundert. 1. Auflage. Tübingen: Niemeyer, 1981.

Reichert, Klaus: Lewis Carroll. Studien zum literarischen Unsinn. 1. Auflage. München: Carl Hanser Verlag, 1974.

Zirker, Angelika: Der Pilger als Kind. 1. Auflage. Berlin: Lit-Verlag, 2010.

BEI GRIN MACHT SICH IHR WISSEN BEZAHLT

- Wir veröffentlichen Ihre Hausarbeit, Bachelor- und Masterarbeit

- Ihr eigenes eBook und Buch - weltweit in allen wichtigen Shops

- Verdienen Sie an jedem Verkauf

Jetzt bei www.GRIN.com hochladen und kostenlos publizieren

Lightning Source UK Ltd.
Milton Keynes UK
UKRC011951200820
368581UK00012B/69